GW00864334

Croise-t-on des gens de tous les pays ?

Peut-on se baigner dans la Seine ?

...au Louvre ?

Pourquoi dit-on les Champs-Élysées ?

Peut-on voir des animaux sauvages à Paris ?

Où se déroulent les grandes épreuves sportives ?

Est-ce que Paris a toujours existé ?

Paris a-t-il des secrets ?

Mise en pages : Pascale Darrigrand
Conception graphique : Emma Rigaudeau

editionsmilan.com

ISBN : 978-2-7459-7769-4 – Dépôt légal : 2e trimestre 2018 – Imprimé en Chine

Paris

Textes de **Stéphane Frattini**
Illustrations d'**Aurélie Grand**

Que va-t-on visiter aujourd'hui ?

Paris, la capitale de la France, est la ville la plus touristique au monde. Avec 11 km de large, elle n'est pourtant pas immense. Mais il y a ici plein de choses à voir et à faire !

La cathédrale **Notre-Dame de Paris** est le monument le plus visité : elle accueille 40 000 personnes chaque jour.

La **rive gauche**, 2 fois plus petite, est fameuse pour ses universités et son ambiance artistique. Au sud, de petits quartiers forment des villages tranquilles.

Les quartiers les plus riches sont à l'ouest de la **rive droite**. Au centre, on trouve les boulevards et les grands magasins. À l'est, s'étendent des quartiers plus populaires.

Paris est divisé en 20 **arrondissements** numérotés en spirale. Chacun est dirigé par un maire, mais le maire de Paris est le chef de tous !

Pourquoi la ville a-t-elle une forme arrondie ?

En grandissant au cours des siècles, Paris a toujours été entouré de murailles. La dernière enceinte, détruite il y a 100 ans, a été remplacée par le boulevard périphérique. C'est lui qui marque désormais les limites de la ville.

Combien y a-t-il de stations de métro ?

Depuis 1900, le métro n'a jamais cessé de s'agrandir. Il compte aujourd'hui un peu plus de 300 stations, réparties sur 14 lignes. Dans Paris, on est toujours à moins de 500 m d'une station !

En 1904, pour passer sous la **Seine**, on construit les tunnels sur la berge, avant de les enfoncer dans le lit du fleuve. Des milliers de curieux viennent admirer l'exploit !

Une **bouche** de métro permet d'accéder à la station. Les plus anciennes sont de style **Art nouveau**, avec des formes qui évoquent des plantes ou des insectes géants.

En 1998, la ligne 14 a été la première à utiliser des trains **automatiques**, sans conducteur. Ils roulent à 39 km/h de moyenne, contre 21 km/h pour le métro classique. Monte à l'avant, c'est l'endroit le plus impressionnant !

Parfois, le métro enjambe la Seine sur un viaduc. Il existe aussi des lignes **aériennes**, où les voies s'élèvent au centre de larges avenues.

Fait-il beau temps à Paris ?

Souvent, le ciel est d'un gris clair lumineux. Il pleut en moyenne 160 jours par an, mais rarement beaucoup à la fois. Ici, l'hiver est assez doux, et l'été plutôt très chaud !

La **qualité de l'air** à Paris est très surveillée. Si la pollution devient trop importante, des mesures sont prises pour réduire le nombre de véhicules et leur vitesse.

Le style et la couleur des **plaques de rue** n'ont pas changé depuis 1847, et les **colonnes Morris** servent à annoncer les spectacles. Dès qu'il fait beau, la foule envahit les **terrasses** des cafés.

Les immeubles anciens ont une façade de **plâtre**, d'un gris très clair. Les plus chics sont habillés de **pierre calcaire**, d'un beau gris-blond qui devient doré au soleil.

RUE DU CHÊNE

CAFÉ·BISTRO

Pourquoi les toits sont-ils gris-bleu ?

La plupart des immeubles possèdent une couverture en zinc, un métal souple, plus facile à utiliser que l'ardoise ou la tuile. Certains bâtiments prestigieux, comme l'Opéra, sont recouverts de cuivre, qui devient vert avec le temps !

Croise-t-on des gens de tous les pays ?

Comme toutes les grandes capitales, Paris est une ville où les populations se mélangent. Parmi ses 2,25 millions d'habitants, plus de 2 personnes sur 3 sont nées ailleurs !

Dès les années 1840, les premières gares ont attiré de nombreux **provinciaux**. Une communauté fameuse était celle des « bougnats », les Auvergnats qui tenaient des cafés et vendaient du charbon.

Ce bâtiment abrite l'**UNESCO**, l'Organisation des Nations unies pour l'éducation, la science et la culture. De nombreux étrangers y travaillent, tout comme dans les ambassades, ou les sociétés internationales.

Certains quartiers abritent d'importantes populations **immigrées**. Vers la gare du Nord, par exemple, vivent de nombreux Indiens. Chaque année, ils célèbrent le dieu Ganesh, et la procession rassemble 20 000 fidèles et curieux.

En moyenne, Paris attire 12 millions de **touristes** étrangers chaque année. Les Américains sont toujours les plus nombreux, mais il y a aussi de plus en plus de Chinois, de Russes ou de visiteurs du Proche et du Moyen-Orient.

Peut-on se baigner dans la Seine ?

Le fleuve traverse Paris sur 13 km. Sa couleur varie au fil des saisons : plutôt marron en hiver, la Seine devient verte en été.

Le long des berges, les **bouquinistes** vendent des livres anciens et des cartes postales. Il y a aussi des pêcheurs : la Seine abrite plus de 40 espèces de poissons.

On peut faire une croisière en **bateau-mouche**, ou prendre le **batobus** qui circule d'un arrêt à l'autre. De nombreuses péniches apportent aussi matériaux et marchandises jusqu'au port fluvial de Paris.

Paris compte 37 ponts, dont 4 passerelles pour piétons. Le **Pont-Neuf** est aujourd'hui le plus ancien : inauguré en 1607, il a résisté à toutes les crues de la Seine !

Chaque été, a lieu l'opération **Paris Plages.** Des camions apportent des tonnes de sable fin, et chacun peut venir profiter d'un moment de détente. Mais pour se baigner, mieux vaut aller à la piscine !

Pourquoi y a-t-il une pyramide au Louvre ?

Pendant 7 siècles, le Louvre était un palais où vivaient les rois de France. Il est aujourd'hui le musée le plus visité au monde, auquel on accède par une célèbre pyramide.

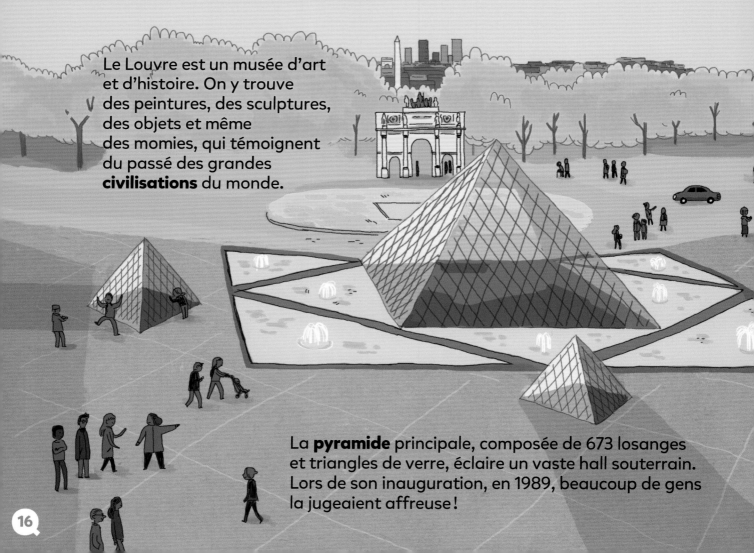

Le Louvre est un musée d'art et d'histoire. On y trouve des peintures, des sculptures, des objets et même des momies, qui témoignent du passé des grandes **civilisations** du monde.

La **pyramide** principale, composée de 673 losanges et triangles de verre, éclaire un vaste hall souterrain. Lors de son inauguration, en 1989, beaucoup de gens la jugeaient affreuse !

La cour du Louvre forme le début de l'**axe historique parisien**, qui s'étend jusqu'à la Grande Arche de la Défense, à 8 km en ligne droite, en passant par les Champs-Élysées.

Combien d'œuvres peut-on admirer ?

Au long de ses 14 km de galeries, le Louvre expose 38 000 œuvres, dont les plus célèbres sont *La Joconde*, le tableau de Léonard de Vinci, et la *Vénus de Milo*, une sculpture de la Grèce antique. Mais les réserves en contiendraient 10 fois plus...

Peut-on monter au sommet de la tour Eiffel ?

Construite en 1889 par l'ingénieur Gustave Eiffel, la « tour de 300 mètres » n'était au départ qu'une attraction provisoire. Mais plus personne n'a osé ensuite démonter ce symbole de Paris !

La construction métallique était une technique nouvelle. À l'occasion d'une **Exposition universelle**, la tour fut montée en 2 ans, à partir de 18 000 pièces fixées par 2 millions et demi de rivets.

Depuis 2015, le **1er étage** possède un plancher vitré. On voit le sol, 57 m plus bas, et tous les détails de la « dentelle de fer » de la tour. Oseras-tu marcher dessus ?

La tour demeura jusqu'en 1930 l'édifice le plus haut du monde. Aujourd'hui, l'**antenne** culmine à 324 m, mais les visiteurs ne peuvent pas monter plus haut que le 3e étage, à 276 m.

Pour ne pas rouiller, la tour est **repeinte** tous les 7 ans par des peintres alpinistes. Sa couleur bronze est dégradée en 3 tons, du plus foncé en bas au plus clair au sommet.

Où habite le président de la République ?

C'est à Paris, la capitale, que se prennent les grandes décisions pour la France. Allons visiter les « palais de la République », où travaillent ministres, sénateurs ou députés...

Le président vit au **palais de l'Élysée**. Près de 900 personnes travaillent ici, depuis les cuisines jusqu'au PC Jupiter, le centre de commandement militaire ultra-secret!

Au palais Bourbon se réunissent les 577 députés de l'**Assemblée nationale**. Ils sont élus par le peuple, pour surveiller l'action du gouvernement, et participent avec le Sénat au vote des lois.

Les 348 sénateurs, eux, sont élus par les responsables des villes et régions de France. Ils siègent au **palais du Luxembourg**, dont le vaste jardin ouvert au public est très apprécié des Parisiens !

Paris est à la fois une ville et un département. Celui-ci porte le numéro 75. Le pouvoir central est détenu par le maire de Paris, qui siège à l'**Hôtel de Ville**.

Pourquoi dit-on les **Champs-Élysées** ?

Tiré de la mythologie grecque, ce nom désigne le paradis où se reposent les héros. Pourtant, quelle agitation sur cette large avenue, où défilent chaque jour plus de 300 000 visiteurs !

Au temps de Louis XIV, il y avait là une simple allée bordée d'arbres, dans l'axe du **soleil couchant**. C'est avec l'arrivée du métro, en 1900, que l'avenue est devenue un endroit très chic.

Manifestations, défilés, arrivée du Tour de France... Les Champs-Élysées accueillent de **grands événements.** Chaque 31 décembre, 1 million de personnes viennent y fêter le passage du nouvel an.

OUH·LA·LA

Noël

Un grand projet de **rénovation** prévoit de laisser plus de place aux piétons, et de multiplier les activités offertes aux visiteurs. Le but? Continuer à surprendre et à faire rêver!

Pourquoi une flamme brûle-t-elle sous l'Arc de triomphe?

Inauguré en 1836, le monument célèbre de grandes victoires militaires. Depuis 1920, il abrite le tombeau d'un soldat inconnu, tué pendant la Première Guerre mondiale. La flamme est ravivée chaque soir à 18 h 30, et ne s'éteint jamais!

Peut-on voir des animaux sauvages à Paris ?

Paris n'est pas immense et possède moins d'espaces verts que d'autres capitales. On y recense pourtant plus de 1 400 espèces animales !

Certains bâtiments possèdent un **toit végétalisé**, un paradis pour les insectes et les oiseaux. Paris compte aussi plus de 300 ruches, dont les abeilles butinent les fleurs des parcs et des balcons !

Dans les espaces verts publics de Paris, on favorise le jardinage écologique. Certains possèdent des **minizones humides**, qui abritent des espèces fragiles comme les libellules ou les grenouilles.

Selon les saisons, on observe 160 espèces d'oiseaux à Paris. La « star », c'est le **faucon crécerelle**. Environ 50 couples nichent à Paris, sur la cathédrale Notre-Dame, l'Arc de triomphe, ou même sur la tour Eiffel.

La **petite ceinture** est une ancienne ligne de chemin de fer en partie abandonnée. Elle est devenue un réservoir d'espèces sauvages, où se promène par exemple le renard roux...

Pourquoi les amoureux aiment-ils Paris ?

Paris possède une image de ville romantique. Elle a abrité tant d'histoires d'amour, réelles ou imaginaires, qu'il en reste peut-être comme un parfum dans l'air...

Des amoureux qui s'**embrassent** sur un banc, on en voit souvent. Et ces images font rêver...
Des couples du monde entier viennent à Paris pour vivre ensemble un moment spécial !

Dans un square de la place des Abbesses, est installé le « **mur des je t'aime** ». Il est composé de 612 carreaux en lave émaillée, sur lesquels la phrase magique est écrite en 250 langues.

Les **passages couverts** de Paris, situés rive droite, près des Grands Boulevards, sont des lieux intimes où l'on aime flâner. On y trouve des boutiques étonnantes, et des cafés pour s'asseoir et rêver.

Jusqu'en 2015, des amoureux accrochaient un cadenas aux grilles du **pont des Arts**, avant de jeter la clé dans la Seine. C'est désormais interdit, mais l'endroit reste idéal pour se faire un baiser… tout léger !

Quelles sont les plus belles **fêtes** à Paris ?

Paris accueille toute l'année des fêtes et des festivals. Mais quelques grands événements font vibrer toute la ville : ces jours-là, l'ambiance est magique !

Le 21 juin, premier jour de l'été, a lieu la **fête de la musique**, avec d'énormes concerts gratuits, mais aussi des amateurs jouant un peu partout. Inventée en France en 1982, la fête est célébrée dans 120 pays !

Le 14 juillet, jour de la **fête nationale**, l'armée défile sur les Champs-Élysées. Le soir, un feu d'artifice est tiré à la tour Eiffel. Et pour danser, les pompiers organisent des bals dans leurs casernes !

La **Nuit Blanche** se déroule un samedi d'octobre. Du soir jusqu'à l'aube, on visite gratuitement des musées, et on admire toutes sortes d'installations lumineuses, comme dans un rêve éveillé !

Disparu vers 1950, le **carnaval de Paris** renaît depuis quelques années, pour mardi gras, vers la fin février. En juin, est organisé aussi un grand **carnaval tropical**, inspiré de ceux des Caraïbes.

Est-ce qu'il y a beaucoup d'artistes à Paris ?

Grimpons sur la butte Montmartre, le royaume des peintres de rue. Avec Montparnasse, c'est un des quartiers où s'est inventé l'art moderne. Aujourd'hui, l'art à Paris se vit de mille façons !

Vers 1880, les **impressionnistes** révolutionnent la peinture. Ils vont peindre en plein air, sans chercher à copier la réalité, mais à faire ressentir une impression. Va admirer leurs œuvres au musée d'Orsay !

À Montmartre, sont apparues les premières **cités d'artistes**, où chacun pouvait louer un atelier. Picasso, Modigliani, Miró... La plupart des grands peintres du XXe siècle ont vécu ici !

MONET ORSAY

L'État et la ville de Paris financent aussi une forte action **culturelle**. De nombreux artistes sont invités en résidence, pour créer des projets qui profitent à tout le monde.

Pourquoi voit-on des gens peindre dans les musées ?

Certains artistes sont autorisés à venir copier un tableau. Le format doit être différent, et l'œuvre terminée en 3 mois. Le public adore les regarder répéter les gestes des grands peintres... qui eux aussi, copiaient souvent leurs maîtres !

Où se déroulent les grandes épreuves sportives ?

Paris et le sport, c'est une très ancienne passion. Ici s'est courue jadis la première course cycliste, s'est tenu le premier tournoi d'escrime... Ici aussi se déroulent de grandes compétitions qui font vibrer le monde entier !

Le **Stade de France** est situé à Saint-Denis, en proche banlieue nord. Il a été inauguré en 1998, pour la Coupe du monde de football remportée par la France. Tout le pays était en folie !

Au stade **Roland-Garros** se déroulent en mai-juin les Internationaux de France de tennis. C'est le seul des 4 tournois du grand chelem à se jouer sur terre battue, et il réserve des surprises...

Le **palais de Bercy**, fameux pour ses pelouses inclinées, accueille jusqu'à 20 000 personnes. Grâce à un système d'espaces coulissants, on y pratique tous les sports, même dans l'eau ou sur glace !

Le **marathon de Paris** est le plus important après celui de New York. Il se court sur la rive droite, en partant des Champs-Élysées, avec 2 boucles à travers les bois de Boulogne et de Vincennes.

Est-ce que Paris a toujours existé ?

Nous voici vers l'an 200, à l'époque de la Gaule romaine. Sur la rive gauche de la Seine, s'est bâtie la petite cité de Lutèce, qui ne dépasse pas 10 000 habitants, mais plaît beaucoup aux visiteurs !

Les rues droites sont pavées, les maisons spacieuses. Des **aqueducs** acheminent l'eau jusqu'aux thermes où l'on prend des bains chauds. Le confort est meilleur qu'il ne le sera plus tard pendant des siècles !

Avant la conquête romaine, seule l'île de la Cité était occupée par la tribu gauloise des **Parisii** et leurs chaumières. La rive droite, elle, reste une zone de marécages.

Les **arènes** accueillent parfois 15 000 personnes : on vient de loin assister aux spectacles. Comme le reste de la ville, elles seront détruites par les peuples barbares à partir de l'an 450.

Depuis quand la ville s'appelle-t-elle Paris ?

Le premier nom de la ville, *Lutetia* en latin, venait sans doute du celte *luta*, qui signifiait « marais ». Vers l'an 300, la ville est renommée Paris, l'abréviation du latin *Civitas Parisiorum*, « la cité des Parisii ».

Paris a-t-il des secrets ?

Paris existe depuis 20 siècles ! À qui prend le temps d'être curieux, cette ville saura murmurer à l'oreille quelques mystères du temps jadis...

Le plus vieux monument de la capitale date de... 1300 ans avant Jésus-Christ. Il s'agit de l'**obélisque de Louqsor**, offert par l'Égypte, et installé en 1836 place de la Concorde.

Sous la rive gauche s'étendent 300 km de carrières abandonnées. Une partie se visite : appelées **catacombes**, elles contiennent les ossements de 6 millions de Parisiens, transférés d'anciens cimetières. Brrrr !

Square Viviani, près de Notre-Dame, se trouve le **plus vieil arbre** de Paris : un robinier d'Amérique, ramené en 1601 par un botaniste du roi Henri IV. Imagine les histoires qu'il pourrait te raconter...

Au 51 rue de Montmorency, s'élève la plus ancienne maison de Paris, bâtie en 1407 par **Nicolas Flamel.** Cet alchimiste aurait jadis trouvé le secret de la pierre philosophale, capable de changer le plomb en or !

Découvre les autres titres de la collection

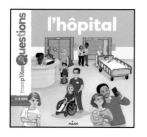 l'hôpital

 les inventions

 les cheveux et les poils

 Lyon

 vivre ensemble

le bien et le mal

les oiseaux

 le président de la République

 la liberté

 le Moyen Âge

 les catastrophes naturelles

 toutes les familles

 le rire

 les voitures

 l'eau

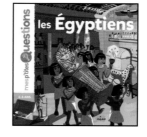 les Égyptiens

 la montagne

 les dents

 les animaux de compagnie

 les sports d'hiver

 Marseille

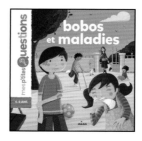 bobos et maladies

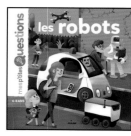 les robots